난간소녀

.

난간 소녀

발 행 | 2024년 02월 27일
저 자 | 김나현
펴낸이 | 한건희
펴낸곳 | 주식회사 부크크
출판사등록 | 2014.07.15.(제2014-16호)
주 소 | 서울특별시 금천구 가산디지털1로 119 SK트윈타워 A동 305호
전 화 | 1670-8316
이메일 | info@bookk.co.kr

ISBN | 979-11-410-7398-5

www.bookk.co.kr

난간소녀

김나현 지음

CONTENT

이 글을 쓰는 이유는 내가 직접 한강에서 투신하려는 시도를 해본 경험에 그 행위를 막고자 나와 같은 상황에 처해 있는 분들께 치유됐으면 하는 마음에 적어본다. 내가 생생하게 느낀 그때의 기억, 그때의 바램을 남기고 싶다. 난 한강 투신 시도로 인해 정신병원에 입원하게 됐고 우울증 완치는 아니더라도 극복을 하고 왔다. 사람들은 정신병원 폐쇄 병동이라고 하면 부정하기 바쁘지만 사실 마음적으로 정신적으로 아픈 모든 사람들이 치료 받고 극복해서 나가는 병원이기 때문에 부정적 시선도 줄었으면 한다. 나 또한 극복하여 나온 사람이고, 입원해 있는 기간 동안 적은 나의 모든 속마음을 통해 다른 사람들도 공감을 느끼며 위로 받았으면 한다. 사람마다 아픔이 있으니까 각자 아픔을 고치러 온 것이다. 나 또한 우울증을 치료하고 왔으니까. 난 단지 내 병을 깨끗하게 치료하고 싶었다. 정리하여 새롭게 살고 싶었다. 그게 대교에 올라 가는 일이 였건 손목에 했던 자해이건. 한편으로는 부모님과 가족들, 나를 살려 준 친구2명과 나 자신에게 하는 약속을 적는 내용이기도 하다.

제1화 두 번의 투신시도

[두 번의 투신시도]

 나는 작년부터 우울증 양극성 장애를 앓고 있었다. 그리고 적자 나는 카페를 운영하고 있었으며 개인 회생까지 가야 하는 상황이어서 매우 좋지 않는 상태였다. 매출에도 사실 문제가 컸지만 해결 할 방법이 없었다. 하지만 이런 상황에 나에겐 정말 의지할 수 있는 남자친구가 있었다. 난 우울증과 더불어 자해도 5번정도 한 심한 우울증이었다. 물론 남자친구는 이 부분에 대해서 전혀 관여한 적이 없고 오히려 나를 위로해줬고 옆에서 응원도 많이 해주었다. 그렇기에 더 남자친구에게 의지하고 매달리며 살아가고 있었다. 하지만 불쑥 찾아오는 부정적인 생각과 충동적인 행동으로 인해 카페 운영이 너무 힘들고 삶이 무기력하다고 느껴 처음으로 한강 대교에 가본 적이 있다. 대교 근처도 걸어 다니고 다리 밑에서 한강을 쳐다보며 '아, 정말 무섭겠다' 싶어 이날은 그냥 대교만 보고 마음가짐을 다시 잡고 온 날이었다. 더욱 더 못 죽을 거 같아 열심히 살아보려 했다. 하지만 이 대교에 간 사실을 남자친구가 알게 된 후 모든 게 변했다. 말하지 말았어야 했는데 모든 걸 기댄 나는 남자친구가 몰라도 되는 상황까지 말해서 남자친구의 마음에 혼란을 줬을 것이다.

그 후 그가 떠나간 이틀 후 나는 두번째 투신 시도를 하게
됐다.

제2화 꺼져가는 카페

[꺼져가는 카페]

　나는 처음부터 이렇게 살고 싶지 않았다. 엄마가 차려 주신 카페에서 도란도란 둘이 예쁜 카페 만들고 싶었고 단골손님과 편하게 수다도 떨면서 살고 싶었다. 그게 독이 됐으면 안 됐다. 그게 독이 됐을 때 멈췄어야 한다. 나는 카페에서 일 하는 게 점차 싫어 졌고 카페에서 다방 느낌 나는 게 너무 싫어졌다. 사실 다방이 맞았다. 주 손님대는 40~50대 나에겐 응대하기 어려운 나이 대에 손님들이 대부분이었고, 나 또한 사업에 필요한 서비스 정신이 부족한 상태로 영업을 했었다. 그래도 내가 열심히 했어야 했다. 근데 정신 줄도 잡지 못하고 치료 받은 약에 의존하여 정신 줄도 나간 상태에서 일하면서 너무 힘이 들었다. 차라리 폐점을 하는 방법이 있었지만 접고 싶지는 않았다. 폐점을 하면 내 모든 게 끝나는 것만 같았다. 대출도 다 썼고 갚아야 하는 돈만 늘어나는 상황이었다. 나는 매일 아침 일어나기가 너무 싫었다. 내 카페를 마주하기가 너무 힘들고 카페가 죽도록 미워졌다. 열심히

하고 싶은 마음은 이미 떠난 지 오래었고 카페에서 일하는 동안 회의감만 들어 엄마에게도 죄송했었다. 하지만 돈이 먼저지, 세뇌하며 꾸역 꾸역 일만 했다

근데 이런 상황에 남자친구의 이별이라니? 난 감당할 수 없을 정도로 힘들었고 고통스러웠다. 심장이 너무 빠르게 뛰어 힘들었다. 이별 통보를 갑자기 받음으로써 내 모든 게 무너지는 것 같았고, 그나마 나에겐 남자친구가 위로가 됐었고 나의 유일한 기댈 곳이었는데 사라졌다고 생각을 하니 밤마다 이불을 발로 탕탕 치며 울며불며 난리가 났었던 날도 있었다. 이별 통보를 받은 이틀 후 나는 다시 처음에 갔었던 대교에 가서 한참을 울었다. 내가 만약 떨어진다면 내가 누구인지 알 수는 있게 주민등록증과 핸드폰만 챙겨서 대교에 올랐다. 한발 두발 올라서 드디어 난간 위에 앉았고 한강 밑만 쳐다보며 한참을 울었다. 온통 까만 세상인 듯 아무것도 보이지 않는 한강 물이 어째서 인지 그렇게 무섭게 느껴지지 않았다. 아무것도 없는 암흑 속에 내가 빠진다면 어떻게 될지 한참 동안 생각했다.내 몸이 조금만 들썩거려도 난 떨어져 죽었을 것이며, 난 펑펑 울며 정말 내가 죽어야 하나 사실은 떨어지기 싫고 이렇게 살고 싶지 않은 것 뿐이라는 생각과 함께 앉아만 있었다. 내가 한강이라는 사실을 안 두명의 친구들에게서 온 전화와 친구들이 신고를 해서 온 경찰분들과 구급대원들의 전화만 계속 울리고 있었다. 나는 너무

무섭고 서러운 마음이 들어 구급대원들의 전화를 받으며 난간에서 뛰어내리지 않고 계속 앉아있었다. 나에게 많이 힘드냐고, 무섭냐고 어디에 앉아 있냐며 나를 찾는 통화를 했었고 그 후 뒤에서 경찰차 여러 대가 왔었고 순식간에 나를 뒤에서 안고 바닥으로 끌어 잡으며 날 살려 주신 경찰관분들도 오셨다. 그렇게 내 두번째 투신 시도에도 난 또 죽지 않고 살았다.

　난 경찰서로 이동했고 이 소식을 들은 친구들과 엄마를 만난 후 너무 무섭고 슬펐지만 안도감도 들었다. 경찰서에 있을 때에는 그냥 충격만 받은 상태였는데 날 보러 온 엄마와 친구들에게 나는 너무 미안하고 고마운 마음도 컸다. 하고 싶은 말이 많았지만 집에 가서 하기로 하고 집으로 되돌아왔다. 집에 도착해서 한참을 생각 후 내가 먼저 엄마에게 병원에 입원해야 할 것 같다고 말했다. 엄마도 내 모습을 보고 동의를 했다. 다음 날부터 카페의 문은 영원히 닫혔고, 카페와 내가 모든 게 끝난 후 남은 건 나의 마음 치료 상태였다. 아빠는 나의 상황을 아신 후 새벽에 달려오셔서 나와 긴 대화를 나누었는데 내가 이렇게 큰 우울감을 가지고 있는지 전혀 모르고 있는 상태였고 우울감과 자해, 자살 충동으로 인해 대교를 올라 간 것까지 모두 말씀드렸다. 내 앞에서 눈물을 흘리진 않으셨지만 아빠가 모든 게 아빠 잘못인 것 같다고 속상해서 많은 눈물을 흘리셨다고 한다. 이렇게 모두들

다들 힘겹게 살아가고 누군가를 위해 살아가고 있는데 나는 정말 나쁜 행동을 했다. 아빠 집에 쉬게 되면서 내가 입원할 병원도 찾았고 이제 치료를 위해 입원 할 일만 남았다. 나는 결국 폐쇄 병동에 입원하게 됐는데 핸드폰과 모든 전자기기가 반입 불가였고, 바깥세상과는 아예 단절되는 공간이었다. 나는 한 달 가량 약 부작용으로 인해 새벽에 일어나 난동을 부리기도 하고, 어지러움과 싸웠으며 약에 취해 풀린 발음과 표정들 그리고 내가 했던 행동과 말을 기억도 못하기 시작했다. 엄마와 아빠, 친구들이 면회 와서도 약에 취해 힘들어하는 내 모습을 보면서 마음이 너무 아팠다고 했다. 또 병원에서도 자해 충동이 들어 자해도 했었고, 내가 가장 힘들었을 시기에 떠났던 남자친구의 영향으로 난 정상적인 일상이 병원에 있어도 불가능했다. 그래서 거의 3달 동안 병원에 입원해 있으면서 오랜 시간 끝에 나에게 맞는 약도 찾게 됐고, 우울감과 자살 충동도 줄어들어 어느 정도 극복됐다고 판단하에 퇴원도 하게 됐고, 그동안 병원에서 썼던 내 일기장과 기억에 의해서 이 글을 적을 수 있게 됐다.

어느 덧 1년 6개월째 나와 아르바이트생, 그리고 엄마가 꾸준히 이어나가던 카페. 매달 적자를 내면서 더 잘될 거라고 아직 오시는 단골들을 생각하며 버티고 버텼다. 내 몸도 정신과 약에 취해 수시로 졸음이 몰려 왔고 정신을 차릴 수가 없었다. 항상 쏟아지는 졸음과 싸우며 일을 했었고, 엄마도 마찬가지로 힘들어하셨다. 그리고 카페에서 일하는 내 모습도

짜증이 났다. 남들이 보면 그 나이에 그 직업인데 뭐가 짜증이냐며 욕하겠지만 돈이 없는데 다 소용이 없었다. 내 모든 것이 무너지고 있는 느낌인 카페 였다. 마음이 없어지니 몸도 생각도 더 이상 무언가 하고 싶은 게 없어져 무기력 하기도 했다. 사실 이 순간에 한강을 가지 않고 더 열심히 했더라면 달라졌을까 하는 생각도 들지만 언젠가는 터졌을 일이라고 생각 하면 되나 싶다.

그래서 내 사건 이후로 카페의 문은 영영 닫게 됐다.

제3화 그

[그]

그 아이는 나에게 유일한 힘이고 의지할 수 있던 사람이었다. 얼굴도 내 이상형과 가까웠으며, 성격도 잘 맞고 서로 그렇게 생각하며 다른 커플과 다르지 않게 잘 사귀고 있었다. 나만 그렇게 생각하고 있었는지는 몰라도 나는 둘이 있는 동안은 너무 행복하고 너무 좋았다. 싸우는 경우도 몇 번 있었지만 서로 잘 풀어나가며 만났다.

장거리 연애이다 보니까 아침부터 저녁은 항상 그의 연락과 함께하였으며 그 사람 일정에 맞춰 만나서 놀러 다녔다. 너무 너무 행복했었던 날들이었다. 긴 시간이 아니었을지라도 나에겐 좋은 생각만 가득하다. 우울증이 있는 나에게 그 아이는 너무 힘이 됐으며 거의 모든 걸 의지했던 것 같다. 그러면 안 됐는데, 내가 모든걸 기대고 의지하다 보니 내가 한강에 갔던 사실도 말하게 됐고, 한강에 갔던 일이 그에겐 많은 충격으로 다가 온 모양이었다. 내가 한강에 정말 빠져서 죽을지도 모른다는 두려움과 내 우울증으로 인해 부정적인 일상이 계속되면서 그도 지쳐서 이별을 말한 것 같다. 그래서 나는 이별의 이유를 나라고 생각하고 자책하기도 했다. 그렇게 나를 행복하게 만드는 그가 실제로도 나의 우울증에 힘이 되기도 했지만 그의 태도 하나하나에 내 우울증이 심해

지던 날도 있었다. 그 정도로 그에게 헌신했던 것 같다. 그런데 이런 순간에 내가 싫어졌다며 한순간에 가버렸다. 내가 싫어졌다고 대놓고 말하진 않았지만 난 대충 눈치채고 있었다. 흔히 연인에게 애정이 떨어진 사람들이 하는 행동, 그런 행동을 나에게 해도 나는 받아들이지 않고 '아니겠지, 계속 날 좋아하겠지' 하면서 불안에 떨며 버티고 있었는데 결국 떠나버렸다.

더 이상 나는 일반적인 일상으로 일반적인 생각으로 돌아갈 수도 살아 갈 수도 없었다.

[1장]

나는 카페에서 근무했을 때에는 쉬는 날이 없어

일주일 동안 내내 바쁜 편이었다.

주말에만 가끔 쉴 수 있었다.

쉬고 싶어도 매출 때문에

아르바이트 생을 구할 수 없었고

엄마와 나 모두 힘들어진 상황이었다.

나는 카페 운영을 통해 정신병이 생겼고

또, 18년을 키운 내 강아지가 죽었을 때

충격이 너무 커서 아예 내 자신을 놓아버렸던 것 같다.

일도 무엇도 할 수 없었고

내 상태를 벗어나기 위해 정신과를 다니기 시작했다.

이렇게 다사다난한 하루를 보내고 있었는데

내 친구가 그를 소개 시켜 줘서 만나게 됐다.

그게 어쩌면 되돌리고 싶은 순간이기도 하며

되돌려도 같은 선택을 할 나일 거 같기도 하다.

[2장]

소개를 받은 나는 그 아이를 너무 마음에 들어 했고,

내 이상형이라고 생각했다.

그 아이도 나를 보고 좋아했던 기억이 난다.

내가 우울증을 앓고 있다는 사실에도 괜찮다고 해주었다.

그렇게 2주가량 매일 연락하고 전화하고 연락해서,

드디어 우리가 첫 만남이 되는 날이 됐다.

첫 만남인데도 불구하고 얘기할 때도 잘 맞았고

정말 재밌는 하루를 보냈었다. 그렇게 우리는

장거리 연애인데도 서로 불만 없이

만날 수 있는 주에는 서로에게 시간 맞추며 만났으며,

못 만나는 날에는 통화와 영상 통화도 하고

정말 행복하게 사귀고 있었다.

내가 아직도 못 잊고 그를 사랑해서

쓰는 글은 아니지만 우리의 추억을 언젠가

책에 적어보고 싶었다. 그 아이도 내 책을 읽고

여러 가지 감정이 들겠지 하며

이런 저런 얘기도 하고 싶었다.

그렇게 평범한 보기 좋은 커플이 된 우리는

그저 행복했다

이때까지는 나는 정말 너무 행복했다. 분명하게도.

[3장]

하지만 적는 내용은 좋지 많은 않을 것이다.
내가 생각하는 그 아이의 단점과 장점도 있을 테고,
나 혼자 쓰다 보니 각색되거나
어느 정도 달라진 내용도 있을 것이기 때문이다.
그리고 그다지 좋고 예쁜 글로는 작성하지 않을 것이다.
내가 이별 통보를 받았고 이별 통보를 한 건
그 아이가 맞으니까.
언제나 예고 없이 통보 받는 일은 힘든 것이다.
이별 통보를 받고 우리는 다음 날 서로 울면서
통화로 대화를 나눴다. 나는 끝까지 다시 생각해보면
안 되냐며 그를 붙잡았고, 그는 안된다며
빨리 미련 버리고 내가 행복해졌으면 좋겠다는
말을 끝으로 통화는 끝났다.
물론 그도 말하기까지 힘들었을 것이라고 생각한다.
나 만큼은 아니겠지만.
그는 어느 순간부터 애정 표현이 줄어들고
나에게 연락을 하는 게 귀찮아 보였다.
일 때문이라고 나에게 말을 했었고
그 이유 만은 아닌 걸 알지만
헤어지기 싫은 나는 '내가 싫어진 게 아닐 것이라고,
마음이 변한 게 아니겠지' 하며 불안해하며
매일 울면서 잠들었다. 우울증이 더 깊게 생겼다.
하루 하루가 불안했다.

난 헤어질 생각을 안 했는데
반면 그는 그동안 혼자 헤어질 준비를
해왔다고 생각하니 마음이 너무 저렸다.

[4장]

나는 결국 이별 통보를 받았다.

그것도 한달 만의 만남을 기다리며,

만나기 2~3일 정도 전이었다.

그에겐 나를 만나는 거 자체도 싫었던 모양이다.

사귈 때 한창 다투던 일이 있었는데

또 서운한 점을 얘기하니 기다렸단 듯이

헤어지자고 답장이 왔다.

그래도 나는 만나서 대화로 얼굴 보고

제대로 얘기하고 싶었다.

그렇기 때문에 만남을 서둘렀고

그와 여행갈 곳을 서둘러 찾았던 것인데

돌아 온건 이별이었다.

그와 헤어지는 건 상상한 적도 없어서

나에겐 너무 힘들었고 통보를 받은

당시 카페에서 일을 하는 중이었는데

울면서 까지 추하게 일했다.

다시 생각 해보라고 했지만

이미 그만하자는 전부터 생각해왔어서

하는 말이니 잡아도 소용이 없는 말이었다.

그래서 난 잡을 여건도 없었다.

모든 선택권은 그에게 있었다.

그래서 헤어졌다.

[5장]

곧 만날 준비도 하고 아무리 변했음에도

'만나면 다르겠지 만나서 얘기해보면 다르겠지 '

하며 애정 표현이 줄어도 헤어짐은

생각도 못하고 만났고 이별 통보를

받은 당일엔 연락이 올 거 같아서 기다렸지만

안 와서 결국 다음날 내가 먼저 전화를 하면서

다시 만나달라고 엉엉 울었다.

하지만 그는 다시 못 만난다는 말만 했고,

다 필요 없었다 그냥 정말 절망적으로 느껴졌다.

마지막 전화를 끊고

그는 그동안 고마웠다고

잘 지내란 말과 사라졌다.

우리 사이가 그냥

아무것도 아닌 사이로 느껴졌다

아 -이제 아무 사이 아닌 게 맞다.

그리고 이틀 후 나는 난간에 가게 됐다.

내가 꽉 잡고 있던 줄이 놓아 진 날이었다.

[헤어진 다음날]

아침에 두 눈을 뜨고 핸드폰을 확인했어

일어났다고 왔어야 할 연락이 없었어

잘 잤냐고 일어났냐고,

근데 아무것도 안 왔어 당연한 건데

그게 너무 가슴 아팠어

아무것도 안 오는 게 정말 당연하게 되어버린 거야.

일어났다고 전화할 수 있고 일어났다고

연락 할 수도 있는 사이였잖아.

근데 이제 못하니까 너무 슬픈 거 있지 너무 허전해

그냥 원래 아무것도 아니었던 일로 하고 싶어

정말 내가 이 세상에서 없어졌으면 좋겠는 하루야.

[사계절]

마음을 너무 많이 주지 말 걸.

네가 봄 여름 가을 겨울이던 마음은 주지 말 걸

내가 줬던 모든 게 너무 커져서 나에게

악몽으로만 다가오니까

너 없는 봄은 더 이상 예쁜 꽃놀이를 할 수 없고

너 없는 여름은 더 이상 재밌는

바다 수영 하러 갈 수 없고

너 없는 가을은 선선한 가을 바람 느끼며

놀러 갈 수 없고

너 없는 겨울은 아무것도 못해.

사실은 사계절 내내.

[가끔]

이젠, 가끔 생각나면 울겠지만

다시 연락하거나

안부 물어볼 생각은 안 하지만

난 안다.

언젠가 만이라도

너랑 비슷한 향기 가지고

너랑 비슷한 목소리 가진 연인 만나고

너랑 비슷한 성격 가진 사람 만나고

너랑 비슷한 얼굴 가진 인연 만나고

너랑 비슷한 사랑한다는 것

다 아무 것도 안 해본 처음처럼.

[줄]

간절히 잡고 있던 줄을 놓아버리면

사람은 제정신을 못 차리게 된다.

그 줄을 놓치면 자신도 모르는 사이에

무슨 행동을 하게 될지 모르기 때문이다.

그리고 그 행동이 최악으로 까지 가면

나처럼 안 좋은 행농까지 하게 될 것이다.

그래서 언제나 정신 똑바로 차리면서,

남에게 매달리며, 남에게 행복을 찾아 선 안된다.

세상에서 제일 중요하건 나 자신이라는 걸 잊지 말자.

내가 행복해야 세상이 행복할 것이다

제4화 사계절

[사계절]

[봄]

봄이다 너랑은 처음 보내는 거야. 너와의 처음은 겨울과 너무나도 달랐지. 그래서 예쁘고 화사한데 그게 마치 어두운 회색으로 보여 첫 만남에 네가 날 알아보고 같이 손잡고 공원도 가고 다른 커플들처럼 설레어 하며 만났어. 우리 둘도 떨려서 누가 봐도 풋풋한 커플이다 싶었겠지? 처음엔 모든 게 완벽했을 거라고 생각해. 그때까진 그랬으니까, 수줍고 귀엽고 밝던 너와 같이 너희 동네도 구경했고, 또 내가 너랑 데이트할 때마다 썼던 내 다이어리도 보여주고 말이야. 넌 내가 줬던 선물들, 편지와 사진들 다 전부 불태웠다고 들었어. 이 다이어리까지 불태웠어야 했는데 때가 되면 알아서 내가 태우도록 할게 도대체 얼마나 빨리 정리하고 싶었길래 내 사진 내 물건들 다 태울 생각을 했는지 모르겠지만 나도 책을 쓰며 너를 정리하듯 넌 불로 태워버린 거라고 생각할게. 잘 지내 봄 들아, 잘 있어 봄 들아, 보고 싶어도 못 보겠지만 봄들은 버리기 아쉬워 내가 아직 까지 잘 보관해보도록 할게.

[여름]

난 너와 함께 했던 그 여름을 제일 사랑했었다. 열차를 타고 너의 동네까지 가서 바다 구경도 하고 행복해하며 카페도 가고 바다 가서 수영하면서 쓰고 다닐 고글도 사러 가고 그렇게 나는 너랑 함께 라면 뭐든 좋았다. 같이 손잡고 거닐 때 서로 웃기 다며 장난치고 그거 다 꿈 아니지. 나 혼자만의 꿈 아닌거지? 이게 다 없어지는 거라고 생각하니 차라리 나는 거짓말이었으면 싶어. 우린 바다 파도도 타고 놀고 하트 모양으로 만든 모래 위에서 사진도 찍고 나는 너와의 여름을 이렇게 놓치지 않고 차곡차곡 또 간직하고 기억하고 말하고 있어 가슴이 아려. 여름은 너무 따뜻했던 여름이다. 네가 보고 싶으니까 여전히 여름인 게 여름이다 앞으로도 여름이라는 날씨를 싫어할 거 같아. 그러면 안 되는데 말이야 여름은 여름으로 남기고 싶다.

[가을]

이제 내가 싫어하는 계절은 확실히 가을이 되겠네. 네가 그렇게 만들었으니까. 아니 사계절 전부, 아무 일도 어떤 일도 안 생길 거처럼 해놓고 내 가을은 어떡해 내 남은 겨울은 어떡해? 근데 있잖아 나도 네 입장이 되고 나서야 알았어 좋아하지도 않는데 붙잡고 데리고 있는 게 얼마나 얽매이고 숨막히고 스트레스 받았을까 하고 그러니 앞으론 어떤 느낌인지 잘 알 테니 가을은 너로 해. 그냥 없어진 무책임한 너처럼

[겨울]

드디어 우리가 한 달 만에 만나기로 한 날이야 겨울 나의
날, 내가 좋아하는 겨울이기도 해 난 그렇게 빨리 겨울이 오
길 기다렸어 우리가 만나기로 한 계절이었으니까. 넌 아니었
지만 아, 아니다 너도 기다렸을 수 있겠다 어떻게 나한테 말
할지 언제, 무슨 말을 할지 말이야 그치? 너와 같이 보낼 수
없는 겨울이라서 좋으면서도 싫어.

제5화 마음 정리

[밤]

너와 싸웠을 때, 너에게 애정 표현이 없어졌단 걸 알았을 때,
나의 대한 마음이 변했다는 걸 알았을 때, 난 밤새도록 숨죽
여 울었어. 넌 전혀 모르겠지만 사귀는 동안에도 나는 힘들
었다. 행복했지만 너의 행동이 그렇게 변해 갈 때마다 너무
힘들고 마음이 아팠어. 제발 변하지 않기를 바랬는데 너 또
한 다른 사람들과 같이 변해가더라. 애정이 없어질 때마다
나에게 하는 행동 난 눈치 못 챈 척했지만 사실 다 알고 돌
아오겠지 다시 예전처럼 날 사랑해주겠지 하면서 바보같이
기다렸어. 그래서 내가 울었던 밤들을 잊지 못해. 이런 내가
또 다른 사랑을 할 수 있을까?

[이유]

옆에 기대래서 기댔고 무슨 일이 있으면 의지하래서 의지하
고 전부 다 터놓고 말했다. 나의 삶의 일부가 되는 듯 했다.
근데 그건 모두 나의 허상이자 착각이었고, 끝은 남들과 똑
같은 이별 뿐이었다. 아. 난 죽은 내 강아지도 너무 보고 싶
고 카페도 다시 한번 잘 살려보려고 노력하고 노력했는데
아. 내가 버텼던 이유가 어딨지? 과연 뭐였을까? 대교의 간
이유가 그거 때문이다. 더 이상 버텨야 할 이유가 사라졌기
때문이다.

[용서]

나는 무지개 다리를 건넌

내 강아지한테 더 못 해준 걸 미안해

나는 부모님이 힘드신 것도 아는데

나만 생각한 걸 미안해

나는 니에게 모든 걸 의지하고 지낸 걸 미안해

나는 너의 미안함을 받아 주는 게 미안해

[습관]

평소에 너는 말을 잘해서 말수가 그렇게

많지 않은 내가 듣는 편이고, 네가 말하는 편이었지

그리고 너는 항상 버릇처럼 콧노래를 부르며 다녔어

나는 이렇게 너의 버릇, 추억에 아직도 삼키고

살아서 너무 슬퍼

내가 이러는 거 너는 몰랐으면 좋겠다.

너의 기억 속에 난, 너무 잘 지내서 책도 내고

돈도 잘 벌고 마치 너는 아무것도 아니란 듯

굴었으면 좋겠다 아무 사이 아니어도

너만큼 슬프고 힘들지 않아도

계속 잘 사려고 할 테니까

너는 잘 살지 말아주라

[소원]

아무것도 해달라는 게 없었다
그저 내 옆에만 있어 달라 고만 했다
아무것도 해달라는 말이 없단 말이
아예 너까지 없어져 달란 말이 아니었는데
내 옆에 있던 네가 사라졌다.
그렇게 아무것도 없이 내 옆에만 일길 바랬는데
너무 큰 욕심이 였나?
너무 큰 사치였나?
아무것도 없이 내 옆에 너만 있어 주길 그랬는데

[겨울바다]

우리 여름 바다만 갔었잖아 같이

해수욕장 가는 건 처음이었는데도

가서 너무 재밌게 놀았던 거 기억나?

원래 겨울 바다도 같이 갈 수 있을 줄 알았어

너 없는 서울은 생각보다 너무 춥다.

곧 있으면 만날 수 있었던 날이었는데

그날까지 다 사라졌던 거까지 다 기억나

아무것도 안 남은 그냥 혼자 겨울이네.

정말 가고 싶은데 넌 누구랑 갈지 생각하니 맘 아파

겨울 바다도 여름 바다처럼 재미있었겠지

라고 나 혼자 설레 이고 있었어 혼자 생각하고,

[별]

우리는 별들이 잘 보이는 곳에도 갔었어.

너무 너무 예쁜 곳이었지.

왜 그런 예쁜 곳을 데려가서 못 잊게 하는 거니

수 많은 별들과 네가 알려 준 별자리들

떨어지는 별똥별들

너와의 잊지 못하는 또 하나의 기억.

[짐]

이젠 언젠가는 너도 나도 다 잊고

새 인연과 잘 살아가겠지?

그땐 난 어떻게 해야 할까?

내 모든 걸 너에게 했던 거처럼 알려줘야 할지

모든 걸 비밀로 해야 할지 모르겠어.

넌 어떤 걸 듣고 싶었어? 그게 너무 궁금하다.

우리는 평생 말 한번 섞일 일 없겠지만

그래도 내가 어디까지 말 했어야 했나 궁금해

넌 나 없이 너무 태연하게 잘 지내는 거 잘 봤으니까

너한테 한 거처럼 모든 걸 채워도 돼?

다음 사람을 만 날수는 있을까?

부디 다신 너 같진 않기를 아니

너 같기를 혼자 걱정하다 울면서 잠들기도 했었어

나는 네가 참 부러워 아무런 걱정 없이

내 생각 조차 없이 잠들 수 있어서

[메모장]

내 메모장에는 여전히 널 기록했던 내용이 남아있어.

나는 아직도 못 지웠거든.

너의 대한 게 적혀 있는 메모장

이세 볼 때 마다 계속 생가 날 테니까

지워야 하는 것도 맞겠지

너를 기록하고 알아 가는 게 나에겐 참 힘이 됐었는데

이젠 더 이상 못 쓴다는 게 마음 아프다.

마지막으로 또 보고 정말 지울게 지워야겠지.

[시간]

시간이 지나면 이렇게 너와의 추억도 못쓰고

기억도 못하게 되겠지

그래서 잊혀지기 전에 적어본다.

이런 추억들이 다 잊혀지고

내 마음 속 어딘 가로 자리 잡힐 때

너는 없고 다시 내 일상으로 돌아가겠지.

그게 얼마나 걸리든 빨리 정리하고

돌아가고 싶어서 글을 적는 거 같기 도해.

너보다 빨리 정리는 안되겠지만

나 혼자 이렇게 발버둥 치고 있어.

다시 돌아가고 싶지만 그럴 일 없잖아.

빨리 시간이 지나갔으면 좋겠는 날이야.

[약]

약을 먹으면 모든 게 괜찮아지는 줄 알았다.

약 부작용에 힘들어 하고 있음에도

괜찮아지는 과정인 줄 알았다.

기억에도 없는 일기를 쓰고

그 내용이 너 임에도 불구하고.

나는 왜 부작용에 시달리면서 까지 너를 못 잊을까?

어쩌면 내 세상이었던 네가 무너져서 인 것 같아.

[시간]

어느 정도 시간이 지나면
너와의 추억도 끝이 나겠지.
나도 다른 사람 만나고
너도 다른 사람 만나고
그렇게 서로 없었던 사람 되겠지
당연한 일인데 정말 그렇게 되면
너무 슬플 거 같아.
혼자 보내는 시간이 적길 바라면서도
난 다시 둘이 되는 게 무섭기도 해
똑같은 일 다시 생길까봐.

[미련]

이런 저런 기억들을 잊을 수 없는 건

그 만큼 미련이 많이 남았다는 것.

미련이 남은 건 해볼 만큼 해보지 않았다는 것.

해볼 만큼 해보지 않은 내가

아직은 홀로 서기가 겁나고 두려워

너만 찾고 있다 바보 같이

[후회]

약에 취한 상태에서도 나는

너에 관한 얘기만 썼다.

친구들은 그런 쓰레기 잊으라고 하지만

너는 나에게 쓰레기가 아닐 뿐더러 잊기 싫었다.

만약 널 만나기 전이라면 모를까

둘이 있을 땐 행복하고 좋았으니까

그걸로 난 됐다.

후회는 너의 몫이다.

[편지]

난 이 책을 너에게 보여주고 싶어서
쓰는 거 같기도 해.
네가 없을 동안 있었던 나의 날 들을
말해주고 싶었거든
보란 듯이 잘 살아서 땅을 치게
후회하게 만들고 싶었는데
이미 마음 떠난 사람에겐 내가 그러더라도
별일도 아니잖아 감흥도 없을 거 알기에
그냥 정말 솔직하게 나 너무 힘들었다고
말해주고 싶었어
너 없는 나 정상이지 않았어
너는 잘 살아갔을지라도 나는 무너져 가고 있었어
그치만 이젠 아니야 아니기 때문에
책을 쓸 수 있는 거고
너에게 보여 줄 마음도 생기는 거겠지.
이 책을 읽고 그냥 웃음거리로 지나치지
않았으면 좋겠다

너를 진심으로 사랑했던 나를

그저 불태우면 그만인 인연으로

생각하지 않았으면 좋겠어 그래 줄 수 있겠니.

[고통]

벼랑 끝까지 가본 사람만이 일어설 수 있듯이

나 또한 일어서 보려고 한다.

사람은 고통 없인 행복을 얻진 못한다

그러니 영원한 행복도

영원한 고통도 없다

행복한 사람들도 모두 힘든 고통을 겪고

성장 한 사람들 임이 분명하다.

[난간]

난간 위에 올라가 앉아 있을 때
내가 더 이상 무서울 게 없어서 한없이
한강을 쳐다보고 있었을 때
나는 내가 정말 떨어져 버릴까
너무 걱정이 됐었고 두려웠어
이대로 내가 사라져 버리는 게 아닐까 하고.
지금 와선 내 모든 감정들이 잔잔해진 게
다 난간 위에 가봤어가 아닐까 싶어
그게 어떤 기분 인지 가본 사람만이 알겠지.

[빈자리]

이제 서야 네가 없는 게 익숙해져가

이런 저런 사람들을 만나고 소개 받아도

다 너 만큼은 못되더라고.

아직 내 마음은 무엇으로도 채워지지 않더라고.

그래서 혼자만의 시간을 잘 간직하고 보내고 있어

넌 이미 다른 사람이 있을진 몰라도

난 너의 전화 한통에도 무뎌진 내 기분이

소용돌이 치듯이 휩쓸렸어 그런 내가,

다른 무언가로 너의 빈자리를 채울 수 있을까?

[애정]

애정이 식는 다는 건 정말 무서운 일이다.

둘이 같은 사랑 동시에 했는데

한 사람은 사랑을 정리중 이라는 건

다른 한 사람에게 너무 큰 충격을 준다.

대부분 헤어지는 이유는

다른 한 사람이 애정을 정리했기 때문에 이뤄진다.

이 불변의 법칙은 변함이 없다.

그래서 나는 어쩌면 영원한 사랑이 존재

하지 않는 다고도 생각이 든다.

이런 내 생각을 바꿔 줄 누군가가 나타나면 다를테지만,

[음악]

나는 원래 인디 음악을 좋아하는 사람이 아니었다.

하지만 좋아하는 사람들 끼리는

닮는다는 말이 있듯이

나 또한 그 처럼 인디밴드 음악을 좋아하게 됐다

그가 좋아하던 인디 노래를 나도 같이 듣고

드라이브도 가고 통화 할 때 마다 배경 음악으로

인디 노래를 들었었지.

지금도 여전히 인디 노래를 좋아하긴 하지만

그와 함께 있을 때 보단 듣진 않는다.

원래의 나로 돌아가기 위해서 다시 내가 좋아했던

음악들만 들으면서 추억을 정리하기 위해.

[시간]

사람을 정리 하는 데에는

많은 시간과 노력이 필요하다

운동,취미생활,음악 등 다른 곳으로

신경을 돌릴 수 있는 노력들.

그리고 온전히 혼자만의 시간을 가지며

전 사랑에 했었던 나의 실수들,

다음에는 그러지 말아야겠다는

다짐들 그렇게 성장해 나가면 되는것이다.

글을 적는 이유도 온전히 나만의 시간을

가질 수 있어서다.

이 시간이 끝나면 또 우울해 지지 않게

좋아하는 음악을 틀어놓고 또 마음 정리하기.

고작 한 사람이 떠나간 건데 많은 노력이 필요하다.

[탓]

처음엔 전부 내 탓인 것 같았어.

내가 대교에 간 걸 말해서.

네가 날 지킬 수 없는 상황인데

대교에 간 걸 말해서.

너 스스로 무섭고 겁났을 거 같다고.

그래서 이별을 말한 거라고

나 혼자 내 탓만 했어. 근데 또

대교에 가서 내가 병원에 입원한 것과

너 없는 날 동안 힘든 하루만 보냈다는

사실을 알게 되면 넌 어떻게 생각할까?

역시 떠나길 잘했단 생각을 할까?

대답을 듣고 싶다 가도 정말 그런 생각을 할 까봐 무서워

이건 누구의 탓도 아니고

그냥 정말 인연이 아니라서 그런 거 맞지?

[용서]

사람을 용서기란 굉장히 어렵다.

나 또한 싫어하는 사람이 있고

나를 싫어하는 사람이 있듯이

'용서'라는 것을 하면 나 스스로의 마음이 편해진다.

나에게 상처 준 사람을 용서한다

조금이 나마 잊힐 수 있는 방법.

그리고 현재 지금도 편해 질 수 있는 방법이다.

[겨울]

겨울의 추위처럼 피할 수 없게
항상 나를 따라오는 너.
그만 와달라고 하고 싶은데
또 보고 싶은 너
너는 도대체 사라질 거야 살아질 거야
정답이 대체 뭐야

[분실문]

난 소중히 조용히 아무도 모르게

잘 간직하고 있었는데 갑자기

내 소중한 물건이 사라져서 분실물이 된 거야.

그때 그 기분 정말 친했던 좋아하던 사물이나

사람 한 명이 없어지는 것과 같다는 거야.

그러니까 그럼 나는 분실물이 하나 생긴 거네?

난 한 게 없는데 말이야.

그걸 찾으려면 어디로 가야 해?

찾아야 할 이유는?

본인이 가고 싶어서 간 건데

찾으면 반갑다고 인사라도 할까?

아니잖아 그래서 그냥 없어졌다고 할게

그 분실물 찾으면 난 행복 할 텐데

걔는 좋아할지 모르겠거든.

[미화]

추억이 미화된다는 건 너와의 안 좋았던 점

안 좋았던 모든 것들이 좋은 기억으로 바뀐다는 거야.

그래서 종종 우리는 지금 이 미운 기분을

잊고 그땐 좋았지 하면서 떠올려

이게 미화의 좋은 점인 걸까 아닐까?

나도 언젠가 너에 대한 기억이

미화가 돼서

널 다시 좋게 생각하는 날이 왔으면 좋겠다.

[잘]

부르면 만나면 얼마 든 가던 존재였는데
이제는 잤는지 뭐하는지 하나도 알 수 없어요
잘 지내세요 잘만 지내요
무너지지 말고 꼭 서서 다리에서 라도
꼭 서서 잘 지내요 지면 안 돼요.

[흔적]

그 사람이 줬던 선물들 인형들 옷들
다 내 눈에서 보이지 않게 숨기고 버리기
더 이상 그 사람 흔적이 남아 있지 않게
버릴 때 마다 내 마음도 하나하나 버리기
같이 즐겨 듣던 음악이 흘러나오면 바로
바꿔버리듯이 모든 걸 제자리로 돌려놓기
음. 그래 흔적 지우기

[다시]

어쨌든 다시는 안 볼 사람을
다시는 지나 치질 않을 사람을
만난 것도 짧은 인연이니
좋게도 나쁘게도 생각 말아요
어쨌든 저처럼 탐험했고 경험했고
스쳐 지났고 지나쳐 버렸잖아요.
짧은 인연이던, 길었던 경험이던
배울 점이 있었다면 분명 성장했을 거예요.

[응원]

서로 응원이나 좋은 일이 생길 때
응 그래 하자
응, 마음속으론 그래
너랑은 해도 될 거 같아
너를 다 용서는 못했어도,
잊어가 잊고 있으니까.

[눈]

오늘은 예쁘고 환한 눈이 내리는 날이야.
너랑 겨울 정말 보내고 싶었는데
혼자 보내니까 이상하다.
원래 혼자인 게 맞는데

너랑 걷고 너랑 보고 싶어

[너]

안녕 너에게 하고 싶은 말투성이야.

너도 내가 너를 얼마나 사랑했는지 알고 있을 거야

너도 언젠가는 또 내 사랑 같은 사랑 하겠지만

널 많이 사랑했던 내가 있었던 사실

안 잊어졌으면 좋겠어 큰 욕심일까? 친구들한테는

너 다 잊었다고 정리했다고 거짓말 쳤어.

다들 잊으라고 하니까 알겠다고 하는 말 말고는

내가 할 수 있는 말이 없더라고

지금까지 나한테 했던 것들

너도 다 거짓 없이 한 일이라고 생각하고 싶어.

우리 마지막 통화에서 마지막 얘기 나누면서

한 말들도 다 잊지 마 너무 잘살지 마

내가 좋아하는 네가 잘사는 건 좋지만

내가 너무 억울하잖아 그래도 너무 다 잊지는 마

조금이라도 간직해서 지내 줬으면 좋겠어

내가 방금 네 얼굴이 생각이 났던 거처럼

난 널 다 없애기가 힘들어.

[상처]

상처는 준 사람만 알수있다.

받을 사람의 생각은 조금의 죄책감 만으로만 알수있다.

그래서 우리는, 상처 받은 우리는

조금이라도 잘살아야 한다

억지로 라도 웃고 싶으면 웃고

울고 싶으면 울고 내 감정대로

풀어야 나만의 후폭풍이 오지 않는다.

[어느 날]

어느 날 갑자기 내 마음에 들어와 살고 있어도 이곳에서
평생 머무르는 게 아니다.
또 어느 날 갑자기 내 마음에서 나갈 수 있다.
아무리 노력해도 안 되는 관계는 이런 관계는
포기하는 게 답인 관계다.

[함께]

함께 같이 들은 노래

함께 같이 봤던 영화

함께 같이 읽었던 글

함께 같이 데이트 했던 날

함께 같이 사진 찍던 날

늘, 언제나 함께

함께 하려는 내 꿈은 없어졌다.

[끝 사랑]

내가 좋아하는 모든 것들은 날 울게 만든다.
꼭 울게 만든다.
내가 사람을 좋아하지 않는 이유도 마찬가지다.
언젠간 울리고 말 테니까.
'항상 마음을 다 주지 말고 상처 받지 말기'

[봄]

봄이 온 줄 알았는데
하루 아침에 꽃샘 추위가 찾아와
예고 없이 오는 것처럼
느닷 없이 내리는 봄날의 눈처럼 쉽게
바뀌고 돌아서는 것이 사람 마음
쉽게 돌아서는 마음을 탓해야 할지
어쩔 수 없는 마음을 이해해야 할지
도무지 답이 없는 봄.

[난간]

내가 난간에 가기로 한 이유는 모든 걸 버려서다.

내 부모님 친구들 인생 돈 나중에 알게 될 지인들

난간에 앉아서 한 생각은

정말 이렇게 살고 싶지 않다 제발

내가 이렇게 살고 있지 않았으면

그래서 조금 이나마 쓰러져 가는 나를

다시 잡고 처음부터 시작하는 거다.

[흔적]

너 하나로 모든 게 깨진 기분이야.

난 너랑 하고 싶은거, 하려는 거 너무 많았는데

단 하나 흔적 없이 나 혼자 너를

지워야 하잖아.

참 이기적이다 네 마음을 이해하기 까지는

너무 오랜 시간이 걸릴 것 같아.

너는 아무렇지 않고 아무것도 아니겠지만

그렇지 않은 나는 내 마음을 꼭

끌어안으며 마음 고생 하겠지.

이 고생을 나만 혼자 하겠지.

[내 일상]

내 일상 속에 네가 없었으면 좋겠다.
내 추억에 네가 없었으면 좋겠다.
내 마음에 네가 없었으면 좋겠다.
내 모든 것에 네가 없었으면 좋겠다.
그래야 내가 행복하니까
나는 아직 까지

네가 아직 있어 너무 불행하다.

[순간의 진심]

갑자기 네 얼굴이 떠올랐어

너의 옆태 뒤돌아볼 때 네 얼굴

밥 먹을 때 말할 때 옆모습

그냥 이건 네가 떠오른 거잖아

이렇게 문득 네가 떠오르는데 너는 어때?

나 혼자만 그러는 거지? 나 혼자만 이런 느낌 나는 거

괜스레 얄밉고 밉고 싶다

[수국]

어떤 꽃은 푸르게 자라고 어떤 꽃은 붉게 자란대.

그게 수국이라는 꽃이야.

그래서 꽃말이 변심 이래.

그럼 네 마음은 뭐였을까? 변심인 거 아는데

왜 마음이 변했을까? 이유를 생각해봐도

변하는 건 없지만

내가 좋아하는 꽃이 싫어지는 기분이야.

[인연]

사람이 만나고 헤어진 적이
그동안 한두 번이 아닌 데도
헤어질 때 마다
가슴이 아리고 아픈 건 그동안 진심이었다는 뜻이다.
헤어지고 나서 아무런 기분도 들지 않는다는 건
진심보단 외로움이 더 컸을 경우가 아닐까 싶다.
이렇게 아프고 아픈 건
내가 정말 진심이었던 거구나.
난 아픈 만큼 더 성장할 수 있는 거구나 하며
받아들이면 된다.
분명 아픈 만큼 배울 수 있었고,
다신 오지 않을 경험할 수 있게 된 거니까.
오히려 떠나줘서 고맙다고 해야 할까

[아빠]

정신병동에 입원해있었을 시절에 아빠와 외출을 하면서 했던 말이 있다. 아빠는 내가 자살시도를 했을 때 기분이 어땠을지 나는 생각도 제대로 못할 만큼 고통스러웠을 것이라 생각한다. 그렇게 사랑스럽고 소중한 딸이 난간 대교 위에 올라가서 떨어질 생각을 한것과 하얗던 손목이 이젠 더 이상 하얗지 않고 빨간 자국 들만 남아있단 걸 알게 되신 기분은 과연 무슨 말로 표현 할 수 있을까 싶다. 아빠의 마음이 무너져 내렸을 것 같다. 아빠는 무슨 마음으로 눈물을 흘리셨을까. 그런 아빠에게 너무 미안하고 병원에서 치료 잘 받고 잘 퇴원 하면 그게 아빠의 바람 아닐까 하고 그렇게 병원에서 생각했었다. 아빠는 내가 죽을 바에 자신이 먼저 죽을 것이라고까지 말을 했었다. 그 말을 들었을때 눈물이 터져 나올 것 같아서 마음이 아팠던 날도 있었다. 내가 제발 치료가 잘 돼서 엄마 아빠 앞에서 실컷 웃고 나 행복하다고 잘 산다고 보여줘야지 라고 마음 먹었던 날도 있었다. 그렇게 잘 퇴원하고 지금의 나는 웃으며 행복하게 지내고 있다. 이런 나처럼 세상에 혼자 남겨져 있는 것 같은 기분이어도 그게 절대 아니라는 걸 말해주고 싶다.

[병원에서의 다짐]

부정적인 생각 고치기

안되면 어쩔 수 없다는 마인드로 바꾸기

화내고 울면서 충동적으로 자해 하지 않기

날 소중히 대해줄 것

날 다듬고 안아줄 것

작은 말에도 동요하지 않고 강해질 것

누군가에게 의지하지 않고 혼자 살아 갈 것

긍정적으로 생각하고 느끼기

항상 모든 일을 받아들이는 연습

나는 언제나 사랑 받는 사람이고

내 옆에는 날 사랑해 줄 사람들이 있다.

항상 날 생각하는 부모님을 위해 살아가기.

내 마음에 사과하고 용서해보기

[병원에서의 날들]

사실 병원에 입원해있을 때에도 내 자해충동은 사라지지 않았다. 힘든 부작용들 때문에 부정적인 생각들만 들었고 언제까지 입원해 있어야 하는지 답답했고 빨리 퇴원해서 집에 가고 싶었다. 외부와의 통화는 공중전화로만 가능했는데 아빠가 항상 전화를 거절했었다. 내가 빨리 퇴원시켜달라는 말만 했으니 당연한 결과였다. 그래서 또 충동적으로 색연필에 포장되어있는 플라스틱통을 뜯어서 손목에 그었다. 칼이 아니기 때문에 큰 상처는 안났어도 원래 있던 자국에 더 선명하게 남았을 것이다. 날카롭지 않은 걸로 여러 번 긋다 보니 더 아프고 자국도 많이 남았다.한편으로는 내 삶은 이렇게 처참하고 힘든데 그 아이는 잘 살아갈 생각을 하니 너무 너무 억울해서 더 충동이 들었던 것 같다. 왜 나만 힘들고 울어야 하는지 몰라서 너무 힘들었고 슬펐다. 퇴원해도 괜찮아 질 수 있을까 하고 제발 잘 살아보고 싶다면서 퇴원날만 기다렸었다. 퇴원하고 나서 내 일상이 적힌 일기장을 보면서 울었던 페이지가 이 내용이기도 하다. 내가 정말 발버둥치며 버티고 있었구나 하고 마음이 아렸던 내용이다.

[현실]

걔의 탓이 아니고 나의 탓이다.

사랑에 빠져 현실은 뒤로 미루며 헛짓을 했단게

부끄럽지만 쓸 건 써야겠다.

걔 또한 내 카페의 상황을 알고 있었고

내 우울증에 관해서 알고 있었다.

우울증을 나아지게 해준다고 했다.

우울증은 내가 스스로 고쳤어야 하는건데

멍청하게 그 말을 믿은 내 탓이었다.

[일기]

사실 정신 병동에 입원해있을 때 쓴 일기는

글씨체가 정말 엉망이어서 자세히 봐야 알 수 있는

내용들이 꽤 된다.

글씨들이 엉망인 일기들을 볼 때 마다 나는

마음이 아프다.

약 부작용으로 인해 정신을 못 차릴 때

쓴 내용일 텐데

그 내용이 너다. 그게 너무 마음이 아팠다.

힘겹게 나는 너와 혼자 싸우고 있었다.

[커플]

우리가 같이 하던 커플 어플

항상 칼같이 대답하던 네가

어느 순간부터 어플에 들어가는 속도가

느려지기 시작했어. 답글을 안 달기 시작했어.

왜 그런지 아는데도 난 모르는 척 했어

인정하기 싫었거든.

귀찮아 한다는 것도 받아들이기 싫었거든.

우리의 반려몽은 다 자랐지만 결국엔 없어졌지.

항상 같이 하던 게, 이젠 사라졌어.

[사과향]

어느 순간부터 애정 표현을 갈구하는 나는 마치
너를 혼자 짝사랑하는 애 같았어.
너에게 귀찮은 짐 같은 애 되기 싫었는데
내가 그런 존재가 되어버린거지.
네 무관심이 나를 슬프게 했어도 난 내 감정
숨길 수 없었거든.
네가 나의 대한 감정이 식었을 까봐 변했을 까봐,
항상 마음 졸이며 눈물 흘리며 잤던 거 너는 알까?
내 마음을 못 이긴 죄였을까.

[다신 사랑하지 않을 다짐]

너는 나에게 상처를 주려고 온 걸까

행복을 주려고 온 걸까

분명 같이 있으면 행복한데 왜 항상 너에게 불안해하고

널 좋아하는 게 너무 힘들고 그랬을까?

난 말이야 너에게 했던 사랑만큼 다른 사람 만나도

그렇게 하진 못할 것 같아.

다신 사랑을 못할 지도 모르지

사랑이란 건 없다고 생각이 될 만큼 아프거든.

[시간]

이제 우리가 헤어진 지 몇 개월이 다 지났네
너 없이 이렇고 저런 일이 있었다고 막
수다 떨고 싶은데 네가 없네.
내 카페는 결국 안 좋게 됐고
나도 치료 받고 있고
분명 너보다 좋아졌어야 하는데
아무것도 그런 게 없잖아.
넌 날 응원 한댔고 잘되길 바란다고 했고
미련 없어졌으면 좋겠다 했는데
그중에 내가 이룬게 있나 싶어서.

[마지막]

너와 나의 마지막은 굉장히 어이없고 예의 또한 없었다.

물론 아름다운 이별은 없다고 하지만,

나에겐 너무 트라우마로 남을 이별이다.

상처는 오롯이 나만의 몫이었다.

나는 카페에서 근무 중이었는데

이별 통보를 받은 상태에서도 눈물을 쏟으며

너와의 이별을 받아들였다.

너는 모든 준비가 된 상태에서 나에게

이별을 말했으니 덜 힘들었겠지만,

난 너무 아팠다. 그리고 헤어지기 정말 싫었지만

헤어질 수밖에 없었다

난 선택권이 하나도 없었다.

나에게 티 한번 안낸 너를 굉장히 미워했다

이별을 전화 통보로 받은 나는 같이

올린 글과 사진들을 지우며 울면서

그렇게 계속 일을 했다.

그게 그렇게 생각이 난다

제발 저녁이라도 연락오라고.

근데 그렇게 우리의 밤은 끝이었다.

다음날 저녁 내가 먼저 연락을

참지 못하고 했다 그동안 미안했고 고마웠다고.

우리 다시 만나면 안 되냐는 나의 말에 다시

만나기 어렵다는 너의 말들과

아픈 말들도 그렇게 이별을 끝났다. 우울한 이별.

항상 똑같지만 이별을 겪는 수준이 다르다

괜찮아지겠지 하며

더 잘 지내 보려고 노력하는 이별.

[친구]

이번엔 나의 10년지기 두명에게 감사를 전한다.
시간이 몇 시든 거리가 어디든 내 연락을 받고
심장 쿵쿵대며 왔을 그 모습을 상상해보니
너무 아프기도 하다.
10년이나 내 옆에서 열심히 이끌어주고 지켜주고
이 두명에겐
무엇이든 할 거고 해주려고 할 거다.
이런 친구가 두명이나 있다는 것 또한 내가 그렇게 큰
우울함을 겪지 않아도 될 이유가 아닌가 싶다.

[원래]

원래 있던 자리에

원래 있던 곳에

원래 있던 데를

되돌리는 법

원래 있던 우리로

원래 몰랐던 우리로

돌아가는 법

원래 나로 가는 법.

[성장]

정신 병동에 입원 해 있을 때 내 룸메이트에게 그의 대한 얘
길 했다. 물론 룸메이트 또한 그를 잊으라고 그만 미련 가지
라고 다른 사람들 처럼 똑같이 말했었다. 누구에게나 듣던
소린 데 미련 버리지 못하는 내가 너무 답답했었다. 입원 기
간 동안 나는 핸드폰도 사용할 수 없어서 그의 소식을 전혀
알 수 없었고 그게 도움이 돼서 퇴원해서도 습관처럼 그의 s
ns를 들어가지 않고도 잘 살아 갈 수 있었다. 근데 정말 잘
참고 견디고 있었는데, 어느 날 내가 술에 취해 그의 목소리
가 듣고 싶어 건 그와의 통화는 이뤄질 수 없었고 며칠이 지
나 서야 그에게 전화가 왔었다. 그 전화 한통으로 우린 마냥
좋은 사이로 남게 됐지만 그럼에도 이런 글을 쓰는 것에 대
해 후회는 없다. 내 속마음이 정말 전해진다면 그걸로 다행
이다. 이런 글을 쓰게 해줘서 오히려 고마운 마음도 든다. 난
이 계기로 성장했을 거라고 믿는다.

[떠난 이유]

나는 사실 남자친구가 떠난 이유를 안다.
너무 암흑만 같았던 내 인생, 본인과 사귀고 있음에도
나의 우울증은 나아지지 않았고 미래가 안보였고
거리도 먼 장거리였고 당장 만나서 무엇 하나 해줄 수
없는 현실이었다. 그럼에도 나는 그를 사랑했지만.

그 아이 자체를 욕하려고 쓴 글이 아니며, 그 아이를
통해 배우고 어떤 것을 조심해야 할지 나도 배웠단
사실을 알려주고 싶었다.
아무렴 이 책을 읽고 안 읽고는 그의 마음에 달렸지만,
좋아하는 마음이 없음에도 계속 사귀는 것 또한
잘못된 일이기에 모든 걸 이해한다.

[극복기]

나는 병원에 입원해서 약 부작용에 취해 있을 때에도 내 마음이 나아지는 방법은 글을 쓰는 것이라고 생각해서 매일 일기를 적었고, 퇴원해서 책을 내기 위해서 그때 그때 드는 내 생각과 기분들을 글로 적었다. 퇴원하고 나서 일기를 본 나는 그때의 힘들었던 과거들이 생각 나 한참을 울었던 적이 있다. 하지만 지금은 어느 정도 우울증을 극복하기도 했고 입원하면서 하지 못했던 것들을 조금씩 하면서 치유하고 있다. 이 책을 쓰면서 며칠 전에 이 책의 주인공이자 전 남자친구에게서 전화도 왔었다. 약 1시간 정도 통화를 했는데 내가 괜찮은 지 요새 뭐하고 지내는지 하며 서로 못했던 얘기도 했고 나에겐 미움과 그리움만 남았었던 내 마음이 전화 한통으로 금세 풀어진 나를 보면서 웃기기도 했다. 어느 정도 난 극복했다.

[정신병원]

정신병원에 처음 입원한다고 했을 때 나는 두려움이 조금 더 컸다. 하지만 내가 대교에 또 갈지, 카페에서 일을 할 수 있을지, 라는 점들로 볼 때 입원하는 게 맞는 선택이었다. 그런 병을 고치기 위해선 내가 가는 게 맞다고 생각했다. 병원은 생각보다 무섭지 않은 분위기였고 나와 비슷한 또래들이 많았으며 다들 각자의 아픔을 이유로 입원해 있었고, 새로 들어온 나에게 이것저것 알려주며 친해지게 된 친구들도 많았다. 하지만 전자기기도 쓰지 못하고 아무것도 없고 뭐 하나 할 수 있는 게 없어서 대부분 색칠 공부나 종이접기 미니 게임 등 시간 보내기에 좋은 것들로 병원에서의 하루 하루를 보내고 있었다. 주치의와의 상담과 나에게 맞는 약을 찾느라 입원 한지 한달 동안은 정말 피폐한 삶을 살기도 했다. 부작용으로 기어 다니며 소리 지르고 욕하고 독방에 갇히기도 했으며 약 기운으로 인해 말을 하기도 힘들었고, 내가 한 행동과 말들을 기억도 못할 정도로 심각했었고 너무 힘들다 보니 퇴원하는 날만 기다린 날들도 많았다. 내가 이렇게 입원하게 된 이유들을 찾아보니 그 아이의 영향과 카페 경영 문제가 컸다고 생각해 너무 힘이 들었다. 내 옆에 그가 있었으면 좋겠다는 생각은 꾸준히 했으며 카페는 폐업을 하게 된 상태라 퇴원하고도 내가 무엇을 해야 할지 걱정도 많았던 날들이었다. 하지만 병원에서 좋은 언니, 동생들도 만나게 되었고 세상엔 이별의 아픔, 폐업의 아픔, 그 외에도 마음에 상처들을 치유할 수 있는 방법은 많구나 하고 느꼈으며 이 책을 쓰는 것이 목표였으므로 나는 목표를 또 하나 이룬 것이다. 내 경험을 토대로 뭐든 자신이 하고 싶은 것을 해야 한다는 걸 말해주고 싶었다. 내 글귀들은 전부 병원에 있었을 때 썼던 글귀들이다. 그때는 지금보다 훨씬 더 감정적이고 감정 제어가 안 됐어 서 울면서 글을 썼다 거나 우울한 글귀들만 쓴 모양이다. 지금은 외래 진료만 받으며 내 생활을 건강히 이어 나가고 있으며, 아무리 힘들어도 극복할 수 있는 게 많다고 생각한다.

[사랑 할 용기]

사랑을 하기에는 용기가 필요하다.

상처 받을 용기 사과 할 용기 행복 할 용기

그래서 사랑하는 사람들이 서로 만나고 있다는 것 자체가

어렵고 신기한 일인 것이다.

모든 일엔 용기가 필요하듯이

이별할 때에도 이별을 받아들이는 용기가 필요하겠지.

[폐업]

나는 결국 1년6개월 만에 작은 카페를 폐업하게 됐다. 내 행동으로 인해 결정된 것이지만 후회는 없다. 좀 더 빨리 폐업을 했더라면 하는 생각은 있지만 이미 지나간 일이다. 첫 사업으로 많은 것을 배웠고 25살 적지도 많지도 않은 나이에 한 카페를 운영하면서 많은 배움을 느꼈다. 첫 사업이 실패였다고 앞으로 나의 인생도 실패가 되리 라고 하는 법은 없다. 그러므로 실패를 받아들이고 성장을 하면 그거로 됐다. 내 인생 한켠의 드라마로 끝난 카페였다. 정말 다행이게도 많은 걸 배울 수 있었다.

[성장]

나와 가장 친한 친구가 해준 말이 있다. 뭐든 내가 행복하기만 하자고. 내가 지금 힘든 시간들을 보낸 만큼 그것보다 배로 더 행복한 날이 올 거라는 말. 조급해 하지 말고 조금만 기다려 보라는 말. 불행한 날들만 있는 삶은 없다고 했다. 하루에 하나 씩이라도 행복한 일들을 찾아보라고 그럼 하루에도 행복한 순간들이 계속 있을 거라고 한다. 내가 자각만 못할 뿐이지 지금 이 글을 적고 있는 것도 난 행복이다. 그러므로 지금 불행한 날들만 있다고 무너져 있기 보단 행복해야 할 일들을 찾아보는 것도 좋은 방법이라고 나는 생각한다. 주위에 이렇게 나를 위해 좋은 말을 해주고 좋은 행동을 해주는 사람들을 위해 나는 더욱 더 힘을 낼 것이고 이겨낼 수 있는 방법은 많다는 것 또한 깨달았다. 이렇게 차근차근 성장해 나가면 되는 것이다.

[기분]

기분이 괜찮아졌어.

너 없이 혼자 있어도 기분이 괜찮으면

그거면 다행인거잖아. 그러길 너무 너무 바랐거든

시간이 좀 걸렸어도 난 괜찮아졌어

몇 달 동안 네 소식 안 듣고 안 보고

완전 남남처럼 된 거 너무 잘된 일이잖아

난 아직 선물, 사진 들은 완전히 버리진 못 했어

그 정도까지는 못할 거 같아서

너와 나의 얘기가 온전히 들어있는

이 책을 쓰는 걸로 할게.

남들이 뭐라고 해도 널 잊는 건 힘든 일이 맞았고

이렇게 힘든데 또 개인적인 너무 벅찬 일이 많았어

너는 어땠을 지 궁금하기도 한데 안 물어볼래.

물어봤자 잘 지냈다고 하겠지.

이제 우리의 추억에 마지막 글이 될 수도 있겠다.

잘 있어 이런 글 쓰게 만들어 줘서 너무 고마워.

[목표]

나에겐 여러가지 목표가 있었다. 바로 병원에서 정한 목표였
는데 이 목표들 만을 위해서 병원에서 참고 기대하며 있었
다. 바로 책을 쓰는 게 제일 큰 목표였고, 운동도 안 했던 나
를 위해 헬스장을 가기로 하고 실제로 헬스장을 다니며 몸도
마음도 가볍게 건강도 챙기고 있다. 그리고 나 자신을 가꾸
기 위해 평소에 하고 싶었던 염색과 네일아트, 피어싱도 뚫
고 내 자해 흉터에 타투도 새기며 기분 전환을 제대로 하고
있다. 작은 일이지만 이렇게 목표를 정해서 하나 씩 해내 가
면 행복해지는 나를 발견할 수 있는 것 같다. 그러니 목표를
정해서 하나씩 이라도 이뤄 가는 게 어쩌면 행복해지는 방
법 아닐까? 나는 그렇게 생각한다. 내가 하는 모든 행동에
행복이란 걸 알게 된다면 불안한 마음, 우울한 마음도 없어
지기 때문에 무의식중에 서라도 내가 할 수 있는 행동이나
일에게 감사함을 느껴봐야 한다고 본다. 무작정 큰 목표가
아니어도 된다. 큰 행동이 아니어도 된다. 나만 알 수 있는
거여도 충분하다. 작은 거 하나 하나 완성해 나가며 목표를
이뤄내 보는 것이다. 부디 행복한 목표를 세워 완성 시켰으
면 하는 바램이다.

\[병원에서의 일기들]

나는 가장 힘들 때 나를 버린 전 남자친구를
증오했지만 용서한다.
나는 카페 일을 할 때 욕하고 화내고 음료수를 던지던
손님들을 증오했지만 용서한다.
난 더 이상 죽을 생각이나 내 몸에
상처를 낼 생각이 없다.
우울증은 완치는 아니더라도
나는 고칠 수 있다고 생각한다
오늘 기분도 내가 정할 수 있으니
오늘 기분은 활발함으로 하자.
나와 같은 감정을 겪는 분들도 완치를 바라며
나 자신을 받아들이기 용서하기,
내 몸을 사랑하기, 과거에 안 좋은 기억들은 잊기
날 소중히 대해 줄 것, 날 다듬고 안아 줄 것,
긍정적으로 생각하고 느끼기.

[다시]

다시 시작할 용기를 주셨으니까,

날 구해주신 경찰관분들, 친구, 부모님

전부다 그렇기 때문에 나는 지금 열심히

잘 살아보려고 한다.

귀염이가 무지개다리로 갔어도

내 옆에서 항상 날 지켜본다고 생각하며

살아가야 한다.

돌아가신 할머니도, 내가 대못을 박은 부모님을

위해서도 난 자랑스럽게 이겨낼거다.

[추억]

이제 모든 것을 추억으로 남기고
떠나가려고 한다.
좋았던 기억만 잘 간직해서 꺼내보고 싶을 때
볼 수 있게 그렇게 간직하려고 한다.
안 좋았던 기억들은 전부 사라지길 바라며
마지막으로 글을 적는다.
좋은 기억 남겨줘서 고맙다는 말과 함께.

[사랑]

나는 언제나 사랑 받는 사람이고

내 옆에는 날 사랑 해 줄 사람들이 있다.

제발 치료가 잘돼서 아빠 엄마 앞에서

실컷 웃고 나 행복하다고

잘 산다고 보여줘야지.

내 손목을 보호해야지, 잘 살아야지, 강해져야만 한다.

[병원에서의 엄마 아빠]

항상 엄마 아빠에게 못하고 마음 아프게
만들고 힘들게 만들어서 미안해.
엄마, 아빠가 힘든 거 다 알면서 나까지
힘들다고 도와달라고 말 할 수가 없었어.
어쩌면 가장 가까운 사이이자 먼 사이였나 봐.
서로가 서로를 잘 몰랐던 것 같아.
내가 이렇게 된 건 그 누구의 탓도 아닌
나의 마음가짐이야.
그러니 너무 슬퍼하지 않아도 돼
제일 힘든 건 아빠와 엄마일 텐데 말이야.

나는 많은 경험으로 실패와 성공을 했다.

남들이 하고 싶어하는 카페 창업도 했고

비록 실패했지만 돈도 벌어 보기도 했고

누군가를 진심으로 사랑했다.

나는 다시 용기를 낸 것이며

지금까지 배우고 얻었던 교훈으로

살아 갈 것이다. 이 책이 나처럼은

아니더라도 사람들에게

위로를 줄 수 있는 책이 됐으면 좋겠다.

여러분 모두 난간에서 벗어나,

행복한 일상으로 떠나 시길 바라며.